UMBRIA

LUNGO I SENTIERI DELL'ARTE E DELLO SPIRITO

EDIZIONI
WHITE STAR

SOMMARIO

Testi
Maria Laura Della Croce

Fotografie
Giulio Veggi

Realizzazione editoriale
Valeria Manferto

Coordinamento editoriale
Laura Accomazzo

Realizzazione grafica
Patrizia Balocco
Anna Galliani

*Stampato nel luglio 1995
presso Pozzo Gros Monti,
Moncalieri (TO).
Fotolito Garbero, Torino.*

1 In quest'immagine si può osservare un dettaglio della facciata della cattedrale di Norcia, con la statua di San Benedetto in primo piano.

2-3 Questa veduta panoramica permette di ammirare l'antico borgo fortificato di Trevi, caratterizzato dagli erti pendii e dalle tipiche case medievali e rinascimentali.

4-5 L'Eremo delle Carceri, che si trova sulle verdi pendici del Monte Subasio, a 4 chilometri da Assisi, è immerso in un fitto bosco di elci. Il chiostrino, il piccolo oratorio, la cappelletta di Santa Maria, il minuscolo coro, tutto appare silenzioso e tranquillo, come in una miniatura. E' proprio in questo luogo che Francesco amava ritirarsi a pregare.

6-7 I Monti Sibillini rappresentano la parte "alta" dell'Umbria: la cima maggiore, il monte Vettore, raggiunge quasi i 2500 metri. Si tratta di montagne "inquiete", soggette a frequenti fenomeni sismici e carsici, animate da un vasto sistema di grotte e passaggi sotterranei e dalla presenza di specie rare di animali.

8-9 I pittori quattrocenteschi hanno saputo creare mirabili opere che colgono in pieno la delicata e serena atmosfera del paesaggio umbro, caratterizzato da dolci pendii e colori armonici.

10-11 La tradizionale Corsa dei Ceri si tiene a Gubbio il 15 maggio, in occasione della festa di Sant'Ubaldo, patrono della città.

INTRODUZIONE

u nica nel centro Italia a non essere toccata dal mare, egualmente distante dall'Adriatico e dal Tirreno, dalla Lombardia e dalla Calabria, l'Umbria si distingue dal resto d'Italia per il suo essere regione isolata, il che ne costituisce, a un tempo, il limite e la forza. L'Umbria si presenta fitta di montagne e colline, tutta alture, gobbe e dossi; è attraversata da strade tortuose e impervie, punteggiata di castelli e castellucci, torri e muracci difensivi che si arrampicano a proteggere le case, cosparsa di querceti folti e scuri. D'altra parte, proprio la chiusura e l'isolamento tipici di questa regione, i suoi borghi e i villaggi fortificati, sorti a contrastare la brutalità e le violenze che ne hanno segnato il passato, rappresentano quanto di più fascinoso e suggestivo l'Umbria abbia oggi da offrire. Questa sua condizione, geografica e storica, così peculiare, l'ha preservata più di altre aree dal moderno processo di urbanizzazione selvaggia, come, in tempi più remoti, dagli insediamenti massicci e dalla penetrazione del nuovo. Grazie a queste resistenze l'Umbria è rimasta in qualche modo più contadina, più silenziosa, più arcaica, mantenendo quella misura umana che ci incanta ogni volta che la percorriamo, conservando intatti persino i suoi colori: la pietra chiara o serena ad Assisi, il rosso mattone a Todi, il giallo tufaceo a Orvieto, la pietra cinerea e spenta a Gubbio. Il carattere antico della regione si addice particolarmente bene agli aggettivi che più spesso si adoperano per descriverla: verde, mistica, francescana. Non mancano tuttavia forti contrasti, che ci offrono un panorama a volte idillico e dolce, quello stesso che i pittori umbri quattrocenteschi hanno saputo descrivere con tanta grazia, ma in altre occasioni aspro e persino ostile; paesaggi addirittura commoventi nella loro perfetta armonia, accanto ad altri talmente scabri e solenni da lasciarci intimoriti. Allo stesso modo, è possibile cogliere l'Umbria spirituale e silenziosa nelle sue abbazie e nei conventi, nel Cantico delle Creature di San Francesco come nelle Laudi di Jacopone da Todi, accanto a quella gioiosa, vitale e concreta che si avverte nei vicoli, nelle botteghe, nelle feste paesane, o sedendosi a tavola tra porchette, tartufi e vini corposi. Era stato del resto lo stesso Giotto, settecento anni fa, a prendere le distanze dal mito francescano contemplativo e a raccontare per immagini, ad Assisi, le storie di un santo politico ed energico, consapevole della propria statura di uomo nuovo, intraprendente e attivo.

12 Arroccato su un colle, il borgo di Trevi domina la vallata di Spoleto.

13 La fotografia sottolinea la ricca decorazione del Duomo di Orvieto: sulla facciata il bassorilievo, il mosaico, l'oro e l'effetto pittorico di superficie esaltano l'immagine della Chiesa trionfante.

14-15 L'interno della Basilica Superiore di San Francesco, ad Assisi, è arricchito dalle opere di Cimabue e dei suoi allievi e dal mirabile ciclo di ventotto affreschi di Giotto.

16-17 Le calde tonalità del tramonto sembrano voler abbracciare la distesa dei tetti di Perugia, realizzati con cotto locale, secondo l'antica tradizione.

18-19 *Anche in aperta campagna sorgono ricchi palazzi e inespugnabili rocche, testimonianza dell'antico potere e dei fasti di questa storica regione. Nell'immagine si ritrova l'atmosfera di pacata serenità che contraddistingue i dintorni di Todi.*

UN'OASI DI VERDE
E DI ARMONIA

*20 in alto Alcuni cavalli
pascolano tra gli ulivi nei
pressi di Ferentillo.*

*20 al centro Alture che si
susseguono dolcemente,
filari di cipressi e antiche
costruzioni caratterizzano
i dintorni di Spello.*

*20 in basso Gli ulivi sono
una presenza costante nel
territorio umbro.*

*21 I balzi spettacolari della
Cascata delle Marmore,
alta di ben 165 metri,
irrompono nel verde
paesaggio umbro.
La cascata fu creata da
Curio Dentato nel lontano
273 a.C., quando il console,
al fine di evitare che il
fiume Velino allagasse le
campagne, ne fece deviare
il corso nel sottostante
fiume Nera.*

In tutta l'Italia centrale la collina appare come
l'ambiente più favorevole, il paesaggio più umanizzato
e più bello; al contrario, la pianura è stata per secoli
ostile all'insediamento a causa delle paludi, della
malaria, del pericolo di invasioni, allo stesso modo,
montagna è rimasta a lungo ai margini della vita
per l'altezza e la ripidità dei suoi pendii, il rigore del
clima, l'isolamento e le difficoltà delle comunicazioni,
un rifugio per i tempi di guerra e di disordini.
Le colline occupano quasi la metà del territorio umbro:
i rilievi assumono forme dolci, pendenze deboli e
dislivelli modesti, mentre il segno dell'uomo si fa più
marcato, le strade e gli insediamenti più fitti: è qui
che sorgono città come Orvieto, Perugia, Assisi,
Norcia. In Umbria anche la terra, bellicosamente
munita, sembra costruita in funzione della difesa,
come già ricordava lo storico Botero nel 1617: "Si può
affermare che tutta l'Umbria, date le sue anguste gole
e l'asprezza dei siti, è una fortezza", in cui viveva
la popolazione più battagliera d'Italia e in cui
l'insicurezza e il banditismo regnavano sovrani.
La stessa casa colonica partecipa di questo stato
d'animo ed è spesso costruita lontano dalla strada,
come per un'istintiva diffidenza verso chi passa:
le caratteristiche torri colombarie che punteggiano
valli e pianure, colli e campi, sembrano torri di guardia
o di difesa. Numerosi sono i centri e i villaggi fortificati
in cima a un monte o su di un colle di difficile
accesso: Campello Alto, Trevi, Spello, Corciano,
Cerreto, Montescuto, Scoppio, luoghi, questi ultimi,
ormai di montagna, selvaggi quando non ostili,
sicuramente più vicini alle Meteore e al Monte Athos
della Grecia che ai dolci colli dipinti dal Perugino.
Ancora, le rocche, le cinte bastionate, le strade
strette, le torri che costellano la regione, da Assisi
a Spoleto, da Perugia a Narni, offrono una grande
varietà di scenari, che vanno ad aggiungersi alla
presenza dominatrice delle grandi abbazie. Il sacro
Convento di Assisi sfidava con i suoi contrafforti
il nemico che arrivava dall'altro capo della valle;
l'antica abbazia di Magione, sede dei Cavalieri
Templari, venne nel corso dei secoli rinforzata
nelle mura, barricata e munita come un castello,
fortificata con torrioni di avvistamento e di difesa,
tanto da trasformarsi in uno dei più impressionanti
esempi di architettura militare della regione.

*22-23 Delicati salici si
piegano armoniosamente
andando a riflettersi nelle
limpide acque del Clitunno.
L'ambiente romantico di
queste celebre fonti ha
ispirato artisti e poeti di
tutte le epoche.*

*24-25 L'antica Abbazia di
San Pietro in Valle, fondata
nell'VIII secolo per volere del
duca di Spoleto Faroaldo II,
sorge in Valnerina, ai piedi
del monte Solenne.
L'imponente complesso
altomedievale conserva
preziose testimonianze
dell'arte pittorica a cavallo
tra il periodo bizantino e
quello romanico.*

Proprio qui, nel 1502, si organizzò la congiura contro Cesare Borgia, detto il Valentino. Tutta l'Umbria è cosparsa di abbazie-fortezze, alcune ancora vive, altre in rovina, che rappresentano un segno tipico del paesaggio; poiché controllavano importante nella bonifica di queste terre e hanno grandi proprietà terriere, hanno avuto un ruolo praticamente funzionato da punti cardinali nella definizione del paesaggio. L'Umbria classica e tradizionale ci appare così "tutta incastellata", una terra irta di fortezze, che dovevano essere davvero tante se, nel solo territorio di Perugia, un censimento della fine del Settecento contò più di 140 castelli. Il panorama umbro tuttavia, è altrettanto celebre per le sue strade di campagna che si snodano fra colline, altopiani, foreste, distese di viti e di ulivi. A volte compresi entro la stessa cerchia delle mura urbane, gli oliveti di Assisi, Spello, Spoleto, Foligno, Trevi, rifornirono la corte romana, le Marche e persino la Romagna. Ad essi si alternano i filari lunghi e bassi dei vigneti, creando quell'incanto che si perpetua ancora oggi, nonostante la progressiva industrializzazione della regione. Per viaggiare in Umbria nel migliore dei modi bisogna lasciare a casa l'automobile e utilizzare una moto, una bicicletta o, meglio ancora, percorrerla a cavallo, facendosi tentare dalla dimensione del passato e da ritmi di vita più rallentati. Sarà allora possibile godere appieno del silenzio e di quel "cuore verde d'Italia" dove arte e natura sembrano essersi messe d'accordo per dare spettacolo. Non c'è che l'imbarazzo della scelta per decidere fra i possibili percorsi naturalistici. Una descrizione di Montaigne, incantato dall'Umbria nel suo viaggio del 1581, basterà a dare la misura della varietà dei paesaggi offerta, per esempio, dalla valle attorno a Foligno: "Mille diverse colline rivestite ovunque di ogni tipo di alberi da frutto, le più belle ballate, un numero infinito di ruscelli, non un pollice di terra inutile... e, fra queste montagne così fertili, l'Appennino mette in mostra le sue cime inaccessibili e come imbronciate, dalle quali scorrono torrenti pronti a trasformarsi di lì a poco in ruscelli piacevoli e dolci".

26 in alto Il Lago di Piediluco, battezzato dai Romani lacus Velinus, rappresenta, assieme ai boschi circostanti, uno dei paesaggi più incantevoli e suggestivi di tutta l'Umbria. Meta frequente degli amanti della natura, il lago ospita ogni anno gare di cannottaggio di rilevanza mondiale.

26 al centro Il Lago di Corbara, ritratto nella fotografia, ha un fascino del tutto particolare nonostante si tratti di un invaso artificiale.

26 in basso Il Trasimeno, uno dei più grandi laghi d'Italia, è caratterizzato da acque ricche e pescose.

27 Rigogliosa anche grazie alla ricchezza idrica, l'Umbria è caratterizzata dalla presenza di numerosi bacini lacustri; quello di Piediluco, un profondo e freddo invaso in provincia di Terni, offre uno spettacolo naturale estremamente suggestivo.

28-29 I raggi del sole, penetrati attraverso una tardiva nebbia mattutina, illuminano la cittadina di Corbara. La bianca coltre tuttavia cela ancora le pendici su cui sorge il borgo e nasconde, con il suo ampio abbraccio, l'omonimo lago artificiale.

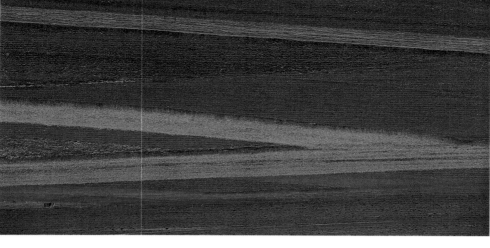

30-31 e 31 in basso
Posto a oltre 1200 metri di altitudine, il Piano Grande di Castelluccio di Norcia offre scorci davvero suggestivi. E' tutto un susseguirsi di colori: dalle vivaci tonalità dei tulipani al giallo intenso dei ranuncoli, dal rosso vermiglio dei papaveri al verde brillante dei prati, fino alle chiome d'oro delle messi.

30 a sinistra
Una straordinaria varietà di colori caratterizza in modo inequivocabile il panorama umbro. Questa immagine "racconta" il delicato e armonico incontro delle diverse fioriture presso il Piano Grande di Castelluccio di Norcia, sui Monti Sibillini.

I monti Sibillini, nel cuore dell'Appennino centrale, offrono un altro scenario ricco di vallate profonde, che spesso si restringono fino ad assumere l'aspetto di anguste e orride gole, nelle quali scorrono torrenti tumultuosi. Non a caso la letteratura medievale fiorita attorno alle leggende popolari individuava proprio sul monte Sibilla, "all'imboccatura dell'inferno", la residenza maestosa dell'omonima veggente cantata da Virgilio. E' fra queste montagne, dove vive ancora il lupo appenninico e nidificano le aquile reali, che, arroccata su uno sperone di roccia, sorge Castelluccio, la frazione più alta e più pittoresca di Norcia, rinomata per le sue lenticchie, dolci e piccolissime, che si coltivano ai piedi dell'abitato. I piani carsici di Castelluccio presentano un paesaggio di montagna percorribile solo a piedi per antichi sentieri e mulattiere: l'aria frizzante, la solitudine, i ruderi di castelli e torri, i prati e i boschi verdeggianti, le doline, i solenni scenari delle piane distese ai piedi delle vette nevose, contribuiscono a creare uno dei più importanti ambienti dell'intero Appennino. La Valnerina, fra Spoleto e Norcia, è un'altra zona particolarmente suggestiva dal punto di vista naturalistico ed ecologico: dagli strapiombi e dalle gallerie scavate nella roccia, si passa a un paesaggio denso di foreste, in cui si alternano castagni, bossi, ginepri.

32-33 L'immagine ritrae
la spettacolare "fiorita",
ai primi di giugno, della
pianura che precede
Castelluccio di Norcia,
l'unico comune ai piedi dei
Monti Sibillini, posto a
un'altitudine di 1450 metri.

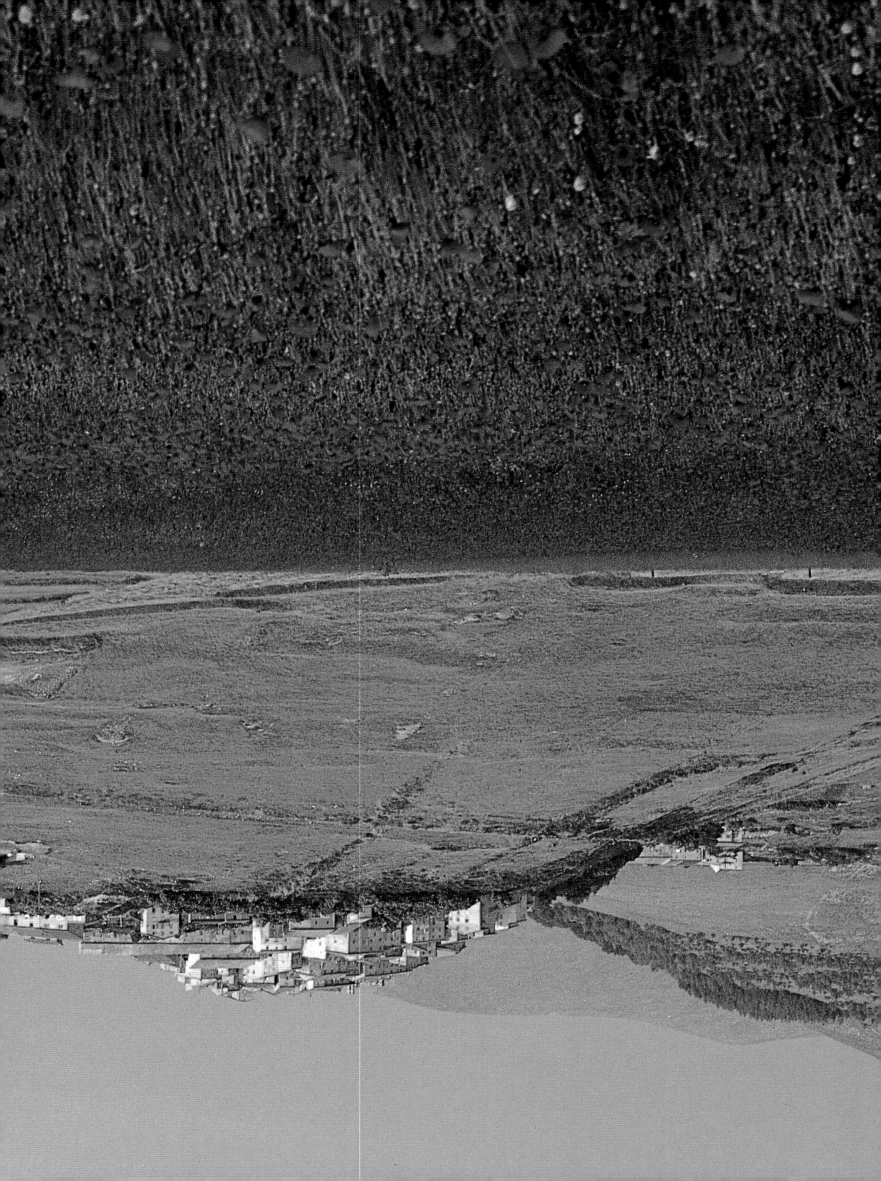

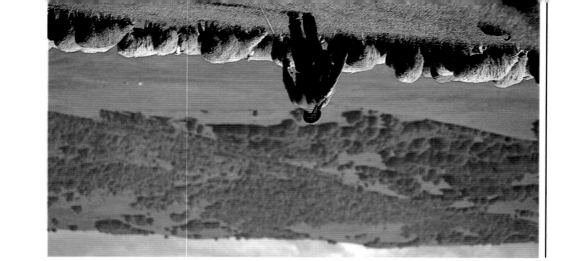

In basso si indovina il corso del fiume Nera, dalle acque limpidissime, su cui si specchia Vallo di Nera, un esempio fra i meglio conservati del tipico borgo murato umbro, che ha mantenuto il tessuto urbano trecentesco. Pare d'essere tornati indietro nel tempo: le macchine sono una rarità, pievi solitarie si alternano a cinte merlate, le strade e il fiume si sovrappongono, il calcare grigio e ocra delle rocce fa da sfondo al verde scuro della fitta vegetazione. "Il rumore della cascata si sente da molto lontano, quando l'aria è ferma. Essa è formata dalla caduta del Velino, il quale, scorrendo sopra a montagne dirupate, precipita improvvisamente quando il terreno gli manca di sotto, su una conca di pietra che fa rimbalzare l'acqua, producendo effetti bellissimi. Dalla conca essa ricade a zampillo su tre roccioni, che fanno da diga. Li supera di slancio formando tre specie di ruote d'acqua ribollente e ricade in una seconda conca e di là, con grande fracasso, va a gettarsi nel letto del Nera, che rimane talmente meravigliato di questo improvviso schiaffone, che impiega un bel po', prima di rimettersi dal turbamento e dall'agitazione". Così, fra lo stupefatto e il divertito, Charles de Brosses, erudito, archeologo, viaggiatore francese di metà Settecento, ci racconta la sua esperienza della cascata delle Marmore, altro spettacolare panorama umbro, immortalata anche nei versi di Byron. Uno splendido fenomeno, anche se non proprio naturale, dato che furono i Romani a creare artificialmente la cascata per bonificare le paludi della pianura reatina.

34-35 Numerose sono le greggi di ovini che giungono sulle pendici dei Monti Sibillini a partire dal mese di maggio: qui i pascoli sono molto ricchi e permettono a decine di migliaia di pecore di sostarvi fino a settembre inoltrato.

36-37 Le fertili zolle della terra appena arata rivelano tutta la ricchezza del territorio umbro; l'immagine ritrae un tipico paesaggio agreste nella campagna che circonda l'antica cittadina di Todi. Questa cornice idilliaca aiuta ad avvicinarsi ai "luoghi dello spirito" con una maggiore e più consapevole serenità.

E sono ancora i Romani a condizionare il paesaggio umbro intervenendo sul lago Trasimeno, di bassa profondità e privo di sbocchi naturali: l'imperatore Claudio, nel primo secolo dopo Cristo, fece infatti costruire un emissario che regolasse le piene e ne stabilizzasse il livello. Il quarto lago italiano per estensione offre una natura dolce e morbidamente ondulata, ammantata di oliveti e vigneti, cui si alterna la folta macchia mediterranea: a interrompere l'azzurro prezioso e limpido del lago, sorgono tre isolette con le loro macchie di colore verde scuro.

38-39 L'ordine e il rigore, tipici del carattere umbro, si ritrovano anche nell'ordito regolare delle coltivazioni.

40-41 Un terso cielo azzurro solcato da candide nuvole sovrasta una piantagione di tabacco, nei dintorni di Todi.

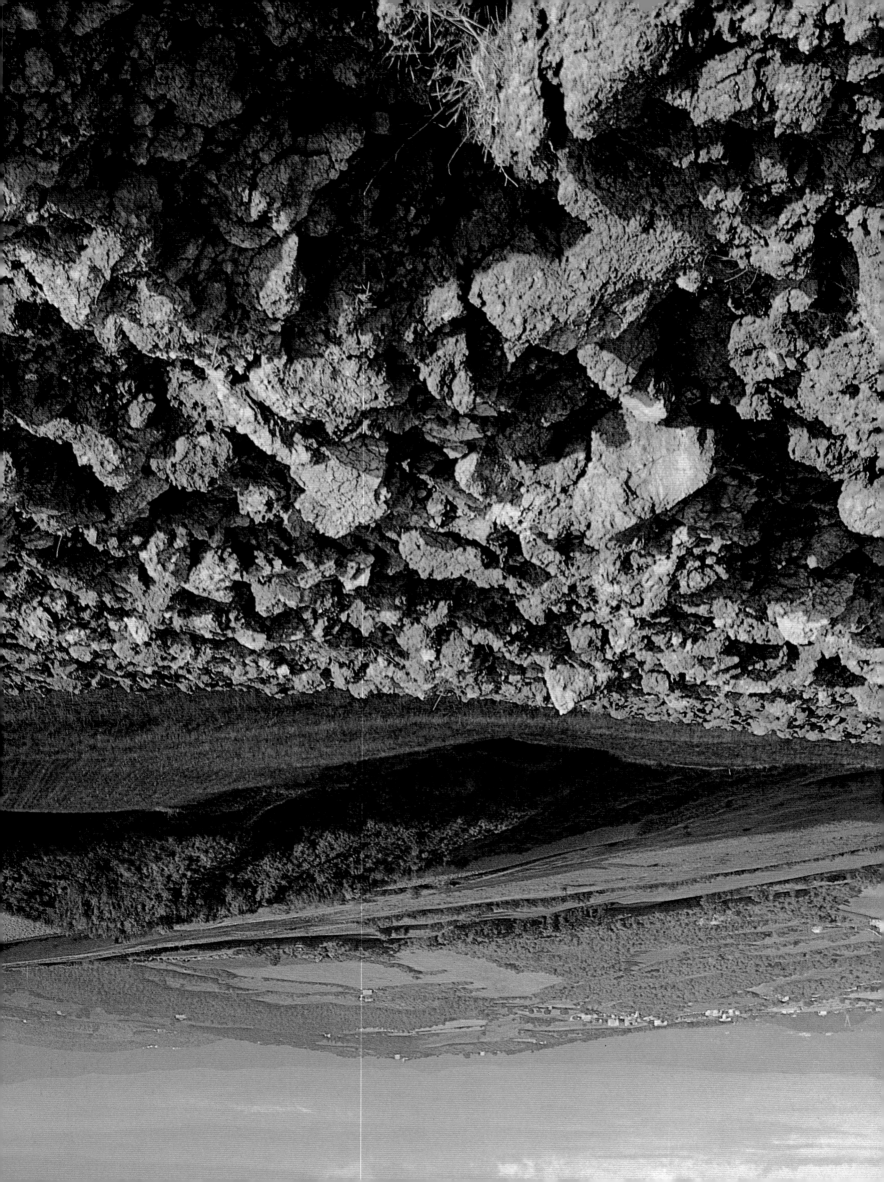

42-43 In questa insolita
fotografia, scattata ad Assisi
dopo un'abbondante
nevicata, la facciata della
Basilica di San Francesco
emerge dalla foschia come
un pallido fantasma.

Il primato
delle arti

In Umbria è il patrimonio artistico a rimanere impresso nella memoria, accanto alle delizie offerte dal paesaggio. Da questo punto di vista, la vicinanza con la Toscana e l'inevitabile confronto potrebbero giocare a svantaggio del più piccolo, più appartato, più provinciale territorio umbro, ma non è così. Intanto perché una tradizione secolare vede nell'Umbria una tappa obbligata nel percorso che, da Venezia e Firenze, portava i viaggiatori e gli eruditi di tutta Europa fino a Roma e a Napoli; in secondo luogo, la quantità e la qualità davvero d'eccezione di capolavori d'arte generalmente molto ben conservati, distribuiti entro un territorio abbastanza circoscritto, giustificano l'importanza della regione, non a caso apprezzatissima dagli stranieri, che sempre più spesso scelgono le cittadine umbre per le loro vacanze o, addirittura, per viverci tutto l'anno. La storia più antica dell'Umbria risale almeno agli Etruschi, che si insediarono per lo più nelle zone a destra del Tevere. Il livello della cultura artistica e organizzativa raggiunto da quella civiltà è testimoniato dai reperti giunti fino a noi: l'imponente arco etrusco a Perugia, l'ipogeo dei Volumni con i suoi commoventi sarcofagi, le Tavole Eugubine, con il loro carico di simboli e allusioni al mondo esoterico. L'Umbria romana, allo stesso modo, ci ha lasciato testimonianze altissime nel campo dell'architettura e dell'urbanistica: il tempio di Minerva ad Assisi, i teatri e gli anfiteatri di Gubbio, Spoleto, Bevagna, Todi, i ponti e le mura a Perugia, a Narni, a Foligno, addirittura una città come Carsulae, che è riuscita a conservare intatta la struttura urbana dei tempi di Augusto. Tuttavia, è indubbio che il volto più fortemente rappresentativo dell'Umbria nel suo insieme è quello impresso dalla civiltà comunale nel suo passaggio dal Romanico al Gotico. Non si contano le chiese, le pievi, le abbazie, i monasteri, i santuari, i romitori di montagna, che culminano nei capolavori del Duomo di Orvieto, in quello di San Rufino ad Assisi, in quello di Spoleto, o ancora nella Cattedrale di San Lorenzo a Perugia, deve e proprie materializzazioni del misticismo e della preghiera, grazie anche ai loro ricchi arredi interni. Parallelamente, l'architettura civile e militare conferiscono a tutta la regione quella caratteristica impronta difensiva che è la spia

44-45 La ricca facciata a rilievi della Chiesa di San Pietro Fuori le Mura, alle porte di Spoleto, è considerata uno dei maggiori capolavori della scultura romanica umbra. Divisa orizzontalmente in tre fasce, presenta nel registro basso tre portali fiancheggiati da animate scene bibliche e figure di animali. Per il naturalismo e la raffinatezza esecutiva dei rilievi, databili ai primi anni del 1200, si è anche fatto il nome di Benedetto Antelami.

*46-47 L'abbazia
benedettina di Sassovivo,
fondata attorno all'anno
1000, sorge nei dintorni di
Foligno, in una splendida
posizione panoramica.*

evidente di un lungo e combattuto Medioevo:
Perugia combatté contro Assisi e Foligno, Foligno
contro Spoleto, Terni contro Narni e così via.
Le ostilità non erano originate solo da pretese
territoriali, ma anche dalla rispettiva appartenenza
politica: Perugia, per esempio, era una roccaforte
guelfa, Foligno un centro ghibellino. Rocche,
castelli, palazzi turriti, mura, organizzazioni
difensive complesse, occupano così le colline,
completano i villaggi, ridisegnano il volto delle
città. Durante l'esilio dei papi ad Avignone, nel
Trecento, Innocenzo VI tentò di riannettere le città
umbre allo Stato della Chiesa, incaricando
dell'impresa il cardinale spagnolo Albornoz, sotto
il quale si può ben dire che l'Umbria abbia vissuto
il suo periodo d'oro per il fervore costruttivo e le
fortificazioni papali erette a Spoleto, Assisi, Narni.
Alle rocche, divenute il nuovo simbolo del
riaffermato potere temporale della Chiesa e punti
forti delle vie di comunicazione fra Roma e i
territori delle Marche e della Romagna, si
affiancano i palazzi pubblici in rappresentanza di
tutta la comunità cittadina: il Palazzo del Popolo a
Todi, del Capitano a Orvieto, dei Priori a Perugia,
dei Consoli a Gubbio, sono l'espressione di un
formidabile impegno tecnico-costruttivo, di una
grande e nuova intuizione artistica e, insieme, il
luogo per eccellenza in cui tutta la comunità civica
si riconosce. "Il popolo di Gubbio", ricorda Georges
Duby, "chiuse i suoi consoli in una meravigliosa
fortezza alla quale affiancò, a prezzo di immensi
sforzi, una spianata a terrazza non destinata al
negozio: su questo palco, sotto il cielo dell'Umbria,
si svolgevano i riti del civismo". Il ricordo
dell'antica funzione difensiva sopravvive nelle
merlature e a volte nelle torri di guardia, ma i
palazzi di città si aprono ormai verso l'esterno con
arcate al piano terreno e finestre a bifore e trifore
al piano superiore; balconi e ampie scalinate esterne
tendono a cancellare l'aspetto di fortezze militari,
mentre il primo piano, occupato da una sala molto
vasta, si presta alla ricchezza della decorazione ad
affresco. Tanta rigorosa ed elegante architettura
finisce col diventare la sede più naturale per gli
innumerevoli interventi scultorei e pittorici, che
contribuiscono a creare quelle "opere d'arte totali",

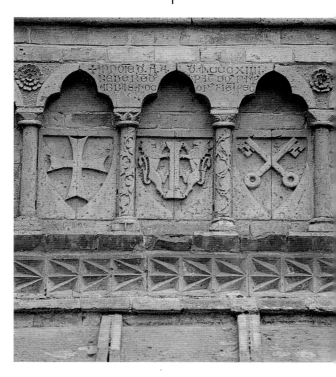

46 in basso e 47 a destra
Il celebre chiostro romanico
dell'Abbazia di Sassovivo
è opera del maestro lapicida
romano Pietro De Maria;
i singoli pezzi della
costruzione, come le

centoventotto colonnine,
gli archi e tutta la
trabeazione, furono in effetti
scolpiti a Roma e trasportati
seguendo il corso del Tevere
fino a Orte, da dove, via
terra, arrivarono a Sassovivo.

così capillarmente diffuse in tutta l'Umbria. Accanto agli architetti, ai capomastri, agli scalpellini e ai muratori, lavorarono al cantiere così delle cattedrali come all'interno dei palazzi signorili, pittori, scultori, mosaicisti, marmorari, cesellatori, decoratori, intarsiatori, intagliatori, miniatori. Valga per tutti quell'Oderisi da Gubbio reso immortale da Dante nell'Inferno: "Oh! - diss'io lui - non se' tu Oderisi, l'honor d'Agobbio, e l'honor di quell'arte ch'illuminar chiamata è in Parisi?" Arrivavano dalle regioni più diverse, portando ognuno il proprio bagaglio di conoscenze tecniche e culturali, grazie anche a una vasta gamma di consuetudini e di occasioni legate alle diverse realtà dei committenti. La mobilità degli artisti certamente era una pratica diffusa ormai da tempo, cui si aggiunsero però l'intreccio delle parentele signorili, i religiosi in trasferta, i capitani in spedizione, i dottori e gli studenti da studio a studio. Per avere un'idea della ricchezza di stimoli e della circolazione di presenze culturali di cui l'Umbria fu testimone già a partire dalla seconda metà del Duecento, basta ricordare che nella Chiesa Superiore di Assisi il primo cantiere pittorico era in mano a frescanti e maestri vetrai francesi e inglesi. A dividersi le pareti delle due basiliche furono i fiorentini Cimabue e, a più riprese, Giotto, oltre ad artisti romani, senesi e a qualche umbro; intanto il Sacro Convento si arricchiva di miniature francesi, di stoffe palermitane, di oreficerie veneziane. Inoltre, a Perugia i grandi scultori pisani ornarono la Piazza Maggiore con la celeberrima fontana e i senesi diressero il grande cantiere del Duomo di Orvieto, dove operarono artisti del calibro del fiorentino Arnolfo di Cambio. Un trio formidabile di scultori operò in Umbria lungo la seconda metà del Duecento, firmando una serie di capolavori che segnano l'affermarsi di un linguaggio figurativo "nazionale". Si tratta di Nicola e Giovanni Pisano, padre e figlio, e dell'allievo Arnolfo di Cambio: insieme daranno vita ad una bottega fiorente, dotata di capacità imprenditoriali fuori del comune, che assumerà rilevanza addirittura europea. Ai due Pisano è attribuita la fontana di Piazza Maggiore a Perugia, la più antica fontana pubblica italiana, primo monumento politico collegato col potere comunale.

L'iscrizione elogiativa che compare sul marmo della vasca dà la misura della consapevolezza di sé e dall'alta considerazione nella quale erano tenuti i due artisti: "Questi sono i nomi degli eccellenti scultori della fontana: Nicola, famoso nell'arte, gradito per tutte le sue opere, fiore degli scultori e gratissimo fra i buoni. Genitore è il primo, figlio carissimo l'altro, che se non vuoi sbagliare dirai chiamarsi Giovanni. Pisani di nascita, a lungo stiano sani..." La complessa decorazione plastica della fontana contempla per la prima volta un programma enciclopedico-allegorico con temi religiosi frammisti a simbologie politiche e ad ammonimenti di etica civica. Arnolfo di Cambio, celeberrimo architetto oltre che scultore, lascia in Umbria, a Orvieto nella Chiesa di San Domenico, il monumento sepolcrale al cardinale francese de Braye, una complessa opera mista di scultura e architettura, arricchita da zone colorate lavorate a mosaico e a intarsio. La figura del cardinale, disteso sul sarcofago, sottolinea impietosamente l'età avanzata del defunto e dimostra l'interesse di Arnolfo per l'analisi dettagliata e realistica applicata al ritratto. Circa un cinquantennio dopo le meraviglie uscite dalla bottega dei Pisano, ecco un altro grandissimo artista nominato capomastro del Duomo di Orvieto: è Lorenzo Maitani, che erige la facciata ispirandosi a quella di Siena ed esegue la parte più nobile dei rilievi scolpiti sui contrafforti di fianco ai portali con le storie della Genesi e il Giudizio Universale. Schiere di dannati sono ghermite dai terribili diavoli dell'inferno, in una ridda tanto impressionante da catturare persino uno spettatore esigente come papa Pio II Piccolomini, che nei suoi Commentari avrà parole d'elogio per lo scultore.

E' lecito tuttavia parlare di un vero e proprio trionfo artistico in Umbria, quando se ne descrive la produzione pittorica. Almeno quattro sono i centri che rivelano maggior vitalità: Assisi prima di tutto, grazie allo straordinario sviluppo del Francescanesimo, Perugia, che vede crescere impetuosamente il ruolo politico ed economico del suo Comune, e infine, Spoleto e Orvieto. Ad Assisi, Giotto insieme ai suoi collaboratori ci dà altissima testimonianza nei cicli affrescati dell'Antico

49　A Spello, nella Chiesa di
Santa Maria Maggiore,
nella cappella Baglioni, è
possibile ammirare una
splendida Annunciazione
del Pinturicchio. La dolcezza
e la grandiosità di questa
opera, che fa parte del ciclo
con le storie di Maria,
affrescate dall'allievo del
Perugino nel 1501, sono
davvero uniche. L'autoritratto
che compare sulla destra
sottolinea l'importanza che
l'artista stesso annetteva a
questo affresco.

Testamento e delle storie francescane nella Basilica Superiore, e in quelli della Cappella della Maddalena, dell'infanzia di Cristo e delle tele nella Basilica Inferiore. Sono imprese che occupano gli ultimi anni del Duecento, una data sorprendentemente precoce per la serie di novità formali e per i contenuti proposti. Si è parlato di pre-umanesimo, di antropocentrismo ante litteram, di studi sulla prospettiva e sulla spazialità assolutamente rivoluzionari per l'epoca. Giotto ha in sostanza profuso di umanità, di sentimenti, di concretezza scene convenzionalmente trattate in maniera antica e simbolica, proponendo un'inedita visione del mondo e delle cose. In effetti, l'irradiazione che si sprigiona dall'esperienza giottesca è, si può dire, senza limiti. Già a partire dagli anni a cavallo fra Duecento e Trecento si può parlare di una vera e propria "leva" giottesca umbra, per la quale il grande ciclo francescano diventa la nuova base linguistica, interpretata dando via via prova di forti e autonome personalità. In questo grandioso fenomeno di diffusione, di cui l'Umbria è protagonista grazie all'attrazione-elaborazione-irradiazione sostenuta da Assisi, trovano spazio le espressioni diverse di quei centri più vitali della regione, in grado di interpretare in maniera originale i modelli proposti. Sia Orvieto sia Perugia, ad esempio, si aprono alla contemporanea vivacissima cultura senese, assicurandosi l'opera dei suoi migliori artisti, da Simone Martini a Lorenzo Maitani, al maestro del coro della Cattedrale. Un altro collegamento importante è quello con la scuola del Gotico Internazionale, con cui gli anonimi maestri umbri del primo Quattrocento si sono confrontati per la decorazione di Palazzo Trinci a Foligno: nella residenza dei signori della città è affrescata una serie di uomini illustri di taglia gigantesca e la Camera delle Stelle è ornata con la raffigurazione delle arti liberali, dei pianeti e delle età dell'uomo. Il ciclo è considerato l'opera più varia di decorazione profana nell'Italia centrale del Quattrocento, rappresentando una sorta di enciclopedia della cultura del tempo di carattere umanistico. Sempre durante la prima metà del Quattrocento sono documentati a Perugia, o nelle vicinanze, i maggiori pittori e freschanti disponibili

50 Superba espressione dello spirito comunale di Perugia, il Palazzo dei Priori fu eretto tra il XII e il XV secolo. La pietra squadrata, interrotta solo dai due ordini di trifore gotiche, conferisce un aspetto severo e chiuso all'edificio che appare come un possente bastione molto sviluppato in altezza.

51 Nell'immagine è ritratto uno dei due grifi di pietra che fanno buona guardia ai lati del superbo portale di Palazzo dei Priori che si apre su corso Vannucci. Questo animale mitologico è il simbolo di Perugia.

52-53 *In questa veduta
panoramica lo sguardo
abbraccia l'antico borgo
di Cascia. Città natale
di Santa Rita, nonché uno
dei più importanti centri
di pellegrinaggio in Italia,
Cascia ha origini antiche:
dapprima municipio
romano, fu quindi un
importante centro
ecclesiastico nel Medio Evo.*

sul territorio italiano, in quegli anni fertilissimo: Domenico Veneziano, Beato Angelico, Filippo Lippi, Piero della Francesca, Benozzo Gozzoli. Quest'ultimo, allievo del Beato Angelico e celebre per i suoi lavori presso i Medici, firma a Montefalco la sua prima opera di grande impegno: gli affreschi con le storie del santo nell'ex chiesa di San Francesco, oggi trasformata in pinacoteca. Nel particolare contesto di Perugia, gelosa della propria identità e, non per caso, ultima città a lasciarsi assimilare nello Stato della Chiesa, si sviluppa, alla fine del Quattrocento, un'arte che acquisterà rinomanza universale, uno stile che, idealizzando insieme figure e paesaggio, li accorda in un gioco di linee semplici e al tempo stesso studiatissime, intrise di una luce diffusa, alta e serena. Si tratta di quella che è considerata "l'arte umbra" per antonomasia, quello stile "Perugia 1500", che offre il meglio di sé con gli affreschi del Perugino al Cambio. La fortuna di questo stile umbro verrà rinnovata e ulteriormente amplificata anche grazie alla sua applicazione decorativa nell'intaglio e nell'intarsio su legno, nelle stoffe e nella maiolica di Deruta. Pietro Vannucci detto il Perugino, il più grande artista della regione, vissuto a cavallo fra Quattrocento e Cinquecento, a capo di

53 Terni è una moderna città industriale, spesso all'avanguardia, che tuttavia affonda le sue origini in un lontano passato. Quale testimonianza dei fasti storici di questo capoluogo di provincia vi sono alcune preziose chiese romaniche e sontuosi palazzi cinquecenteschi e seicenteschi, come quello ritratto nell'immagine.

una delle più prolifiche e apprezzate botteghe del Rinascimento italiano, ha inventato uno stile che fonde le qualità della luce di Piero della Francesca con la linea morbida del Verrocchio. Dal primo manifesto dell'arte perugina rinnovata, i **Miracoli di San Bernardino,** *attraverso le celeberrime Madonne disperse nei musei di mezza Europa, passando per le imprese romane, che lo vedono impegnato nella Cappella Sistina con la* **Consegna delle chiavi,** *fino agli affreschi del Collegio del Cambio a Perugia, di cui è nel frattempo diventato* cittadino onorario, il Perugino dimostra di saper corrispondere con perfetta aderenza alle attese, ampiamente diffuse, di nuove immagini, trasmettendo un sentimento dolce della santità e dell'ascetismo, in una misurata fusione di virtù. Questo suo modo di esprimersi, immediatamente riconosciuto e apprezzato, diventa, come si sa, la base di partenza da cui si svilupperà l'arte sublime di Raffaello Sanzio. Un altro contemporaneo grande pittore operante in Umbria è Luca Signorelli, di cui la pinacoteca di Città di Castello conserva il Martirio di San Sebastiano, Perugia la pala omonima con un sensibilissimo angelo musicante in primo piano intento ad accordare il suo strumento, e soprattutto Orvieto gli affreschi nella Cappella di San Brizio in Duomo, considerati unanimemente il capolavoro dell'artista. Diversamente dall'aura contemplativa e dalla pace che traspare dalla pittura del Perugino, gli affreschi con le storie dell'Anticristo e infernali dell'Apocalisse, a Orvieto, moltiplicano le figure e gli atteggiamenti in ritmi concitati, in composizioni sempre più complesse e dinamiche, con un'evidente tendenza a superare i limiti della cornice. C'è chi ha visto nella plasticità e nell'energia che traspare dai corpi dipinti da Signorelli un precedente preciso della pittura di Michelangelo; altri, come Argan, "una grandiosa, spettacolare, efficacissima messa in scena con l'evidente intenzione di terrorizzare i fedeli, di persuaderli a credere nelle vere profezie, a respingere quelle false. Il Perugino blandisce, il Signorelli sgomenta: la maggior intensità della sua pittura dipende forse dal fatto che nell'imminenza della lotta religiosa, lo sgomento è un argomento più forte e più attuale della contemplazione".

Sarà l'aura francescana, sarà l'arcaismo contadino, saranno gli scorci di natura incontaminata, sta di fatto che l'Umbria consente, più di altre regioni italiane, di recuperare quella dimensione del silenzio che la maggior parte di noi, abituata a ritmi di vita frenetici e meccanici, ha dimenticato. L'incanto delle cittadine umbre sta nel risuonare dei nostri passi lungo le strade intatte dei centri storici, nel senso del Tempo avvertibile in ogni particolare, nelle suggestioni che evoca una pieve romanica di epoca romanica, un convento con sullo sfondo di un campo coltivato, un convento con

il suo orto e il suo giardino, l'alternarsi ordinato dei colori del paesaggio naturale con il giallo delle argille e dei tufi, il grigio delle costruzioni medievali. Se è vero che l'Umbria tutta è una sorta di museo all'aperto e tanto carichi di storia antica appaiono anche i più piccoli villaggi arroccati sui monti e sulle colline, è altrettanto vero che alcuni centri sembrano particolarmente fascinosi e densi di testimonianze del passato.

Città di Castello, quasi al confine con la Toscana, amata da Plinio che vi possedeva una villa, è stata dominata da signori amici dei Medici, che chiamarono infatti architetti fiorentini come Antonio da Sangallo e Giorgio Vasari a edificare le proprie residenze, arricchendole poi con le opere degli artisti più accreditati dell'epoca, da Raffaello, che qui dipinse il celeberrimo Sposalizio della Vergine, ai Della Robbia, da Signorelli a Rosso Fiorentino.

Gubbio, in posizione dominante sulla pianura, è protetta da montagne ricoperte di boschi e di rocce calcaree. La sua caratteristica immagine in pendio offre già da lontano un panorama superbo, in cui svettano gli edifici più importanti: il Palazzo dei Consoli, il Duomo, la Chiesa di San Giovanni. Dal XV secolo in poi la città non è cambiata molto; l'impronta medievale, fiera e austera, si è miracolosamente preservata fino a noi anche grazie alla durezza del calcare impiegato nell'architettura eugubina tradizionale. Agli inizi di questo secolo, spettatore appassionato quanto stupefatto, Hermann Hesse ci ha lasciato una vivida immagine della città, descrivendo così il Palazzo dei Consoli: "La grandiosa, quasi temeraria audacia di questa architettura produce un effetto assolutamente sbalorditivo e ha qualcosa di inverosimile e conturbante. Si crede di sognare o di trovarsi di fronte a uno scenario teatrale e bisogna continuamente persuadersi che invece tutto è lì, fermo e fissato nella pietra. C'è qualcosa di mitico, di quasi primordiale nella temerarietà che ha edificato questa erta collina sfidando ostacoli inconsueti, che ha innalzato su un'inezia di terreno torri vertiginose e rocche colossali e ha collocato poi sulla cima, lungo il bordo scosceso del monte, conventi e castelli massicci".

55 Come in una danza macabra, gli eleganti e spigolosi aguzzini si agitano attorno al povero San Sebastiano, svettante contro un cielo di rovine, nella pala d'altare di Luca Signorelli che raffigura il martirio del santo. L'opera, che risale al 1496, è conservata nella pinacoteca di Città di Castello.

Gubbio ripropone con particolare enfasi la sua carica mistica ogni anno, a metà maggio, in occasione della Festa dei Ceri: trecento "ceraioli", suddivisi in squadre hanno il compito di trasportare a spalle, in una corsa sfrenata, i tre ceri di legno (mezza tonnellata circa ognuno!) di Sant'Ubaldo, patrono della città, lungo un percorso di quattro chilometri. La Corsa dei Ceri è una delle manifestazioni più seguite di tutta l'Umbria ed è una fra le più antiche, risalendo al 1200.

Di Perugia, dire che è una città dai mille volti è quasi un'ovvietà: gli insediamenti succedutisi nel tempo sono documentati da una serie di capolavori che si sono conservati miracolosamente fino a noi. Abbiamo così la poderosa cinta difensiva, le porte e l'arco etruschi, l'ipogeo dei Volumni, la città vecchia con la più bella fontana medievale d'Italia, il severo Palazzo dei Priori e, al suo interno, quello straordinario monumento dell'arte rinascimentale che è il Collegio del Cambio, affrescato dal Perugino. Su tutte queste meraviglie dell'arte e dell'ingegno umano, trionfa il paesaggio, verde e collinoso, a un passo dal lago Trasimeno, il "mare" dell'Umbria, popolato di pesci e uccelli.

Goethe ricorda nel suo viaggio in Italia di fine Settecento: "La città è in bella posizione, la vista del lago straordinariamente amena; mi sono ben impresso quelle visioni".

La città di San Francesco è a tal punto legata al nome del suo più illustre cittadino da apparire rivestita di un'aura mistica e luminosa del tutto particolare, cui contribuisce anche la vallata dolce e serena che la accoglie lungo una linea che si estende da Perugia a Spoleto, formando un grande arco di quaranta chilometri.

Assisi e i suoi dintorni sono sicuramente i luoghi deputati dove incontrare San Francesco: nella casa natale, nel Duomo dove fu battezzato, nel Palazzo Arcivescovile dove si era sottratto all'autorità paterna, in San Damiano dove Cristo lo aveva invitato a rinnovare la Chiesa. Tuttavia Assisi è anche il centro della valle umbra, quella che si ritrova negli sfondi dei paesaggi perugineschi o del primo Raffaello, armoniosa, rasserenante, perfetta, un paesaggio come trasfigurato dalla grazia e dall'incanto.

57 Il centro di Narni è scandito da un intrico di vicoli e viuzze, spesso a scalini e sovrmontati da archi, che si innestano ortogonalmente sulla via principale, l'antico cardo. Nell'immagine è possibile ammirare uno scorcio, ricco di fascino e suggestione, di Via del Campanile.

del borgo venne effettuata sotto l'egida della Santa Sede. L'aspetto attuale presenta ancora le caratteristiche dell'antico nucleo medievale con l'inserimento di eleganti case in pietra o in cotto e di fastosi palazzi quali il Palazzo del Podestà (qui ritratto), il Palazzo dei Priori e il Duomo.

56 in basso Narni, arroccata su uno sperone roccioso, ha origini antiche: le cronache la ricordano con il nome umbro di Nequinum, ma nel 299 a.C. divenne Narnia, una colonia romana. Nel 1527 molti dei suoi palazzi medievali furono distrutti dalle truppe di Carlo V; la ricostruzione

56 in alto Le vestigia romane di Narni, come quelle esposte in questo lapidario ospitato nel cortile interno del Palazzo del Podestà, riportano ai fasti che il borgo conobbe sotto Roma. Fu proprio la posizione strategica, dominante sulla valle del Nera, a determinare l'importanza della città.

58-59 Sullo stipite del
portale mediano della Chiesa
di San Michele a Beragna,
che si suppone risalga al
XII secolo, è raffigurato
l'arcangelo Michele.

"Non vidi nulla di più sereno": è lo stesso Francesco a ricordarlo pensando alla sua valle. "Non c'è nulla di eguale" per Hyppolite Taine, "prima di aver visto Assisi non si ha l'idea dell'arte e del genio del Medioevo. Aggiungetevi Dante e i **Fioretti** di San Francesco, avrete il capolavoro del Cristianesimo mistico".

Foligno è una delle rare città umbre sorte in pianura e in posizione favorevole dal punto di vista dei collegamenti, il che le ha permesso di qualificarsi fin dalle sue origini romane come un centro intraprendente e dedito ai commerci. Non manca una tradizione artistica e culturale assai sentita: a Foligno infatti, fin dalla seconda metà del Quattrocento, fiorì l'arte della stampa: qui si pubblicò la prima edizione della **Divina Commedia**, che fu anche il primo libro in lingua italiana stampato in Italia, nel 1472. Foligno custodisce inoltre il complesso forse più vario di decorazioni profane dell'Italia centrale del Quattrocento: quell'elegantissimo ciclo di ispirazione cortese che arricchisce i saloni di Palazzo Trinci, residenza dei signori della città. Il paesaggio attorno a Foligno, fitto di "molte ricche pianure, estese fino a perdita d'occhio", colpì un viaggiatore smaliziato e accorto come Montaigne che, sebbene contrariato dal fatto che in città "Non fanno cuocere i carciofi (sic!), servono il pesce marinato e non ne hanno di fresco, servono fave crude, piselli e mandorle verdi", riconobbe tuttavia: "Non mi sembra che alcun pittore possa rappresentare un paesaggio così ricco". Curiosamente, anche Goethe, due secoli più tardi, ha un ricordo della città legato alle sue abitudini alimentari: "Qui a Foligno, in una casa dall'arredamento assolutamente omerico, tutti siedono in uno stanzone attorno al fuoco acceso sul nudo terreno, e gridando e schiamazzando mangiano intorno a una lunga tavola come nei quadri delle nozze di Cana". I Trinci di Foligno furono per lungo tempo anche signori di Bevagna, una cittadina minore, remota e fuori del tempo, la cui particolare suggestione è dovuta al silenzio e all'austerità che emanano da Piazza Silvestri, il cuore romanico e asimmetrico della città.

"Pur essendo situato in posizione ardita e avendo l'aspetto di una rocca fiera e bellicosa, Montefalco è oggi uno dei luoghi più pacifici della terra, un

59 Piazza Silvestri, a Bevagna, è una delle piazze più suggestive di tutta l'Italia centrale; le forme irregolari e l'antica pavimentazione con lastre di pietra, su cui echeggiano i passi degli abitanti e dei visitatori, le valgono questo primato. Vi si affacciano la chiesa di San Michele e quella di San Silvestro, veri capolavori romanici, e il gotico Palazzo dei Consoli. Al centro della piazza, una fontana di forme romaniche impreziosisce l'intero insieme.

quieto centro di arte francescana. Ovunque si volga lo sguardo, ovunque si passi, tutto è antico, medievale, sassoso, freddo e duro. Minuscoli vicoli ritagliati fra alte case di pietra grezza, antiche torri, portali, castelli, chiese e mura". Questo è il ricordo di Hesse, che rimane tuttavia incantato specialmente da Spoleto. "la scoperta più bella che ho fatto in Italia. C'è una tale ricchezza di bellezze pressoché sconosciute, di monti, valli, ponti, foreste di querce, conventi, cascate!" E' vero infatti che Spoleto offre, sia per posizione geografica sia per documenti d'arte, innumerevoli motivi di interesse. Stili in apparente disordine concorrono pacificamente a documentare la ricchezza storica della città, le cui origini si perdono nella notte dei tempi. Fra le tante arti però, Spoleto mantiene la propria tradizione di città teatrante, che si perpetua ancora oggi con il Festival dei Due Mondi, appuntamento fisso internazionale che concentra, nell'arco di una quindicina di giorni, quanto di meglio e di nuovo si crea nel campo del teatro di prosa e della lirica, nella danza come nella musica. Per una volta, il fascino dell'antico, meraviglioso certo, ma anche un po' opprimente, lascia spazio alle invenzioni del moderno e dell'avanguardia.

Il centro di Todi, la piazza lunga e rettangolare sul colle, al di sopra della Valtiberina, ricrea intatta l'atmosfera dei tempi del libero Comune che aveva sottomesso Amelia e Terni. A uno dei capi di questo maestoso rettangolo, su di una scalinata, si eleva il Duomo: al suo opposto il Palazzo dei Priori, merlato e dalla possente torre pentagonale. Su uno dei lati lunghi sorgono il Palazzo del Popolo e quello del Capitano, uniti da un'ampia scala esterna: tra essi e il Palazzo dei Priori si apre Piazza Garibaldi, una sorta di balcone che si affaccia sulla ballata e sul Tevere.

Isolata, in mezzo a un vasto prato verde, così da poter essere vista da lontano, sia per chi viene da Terni, sia per chi arriva da Orvieto, sta la Chiesa di Santa Maria della Consolazione, disegnata forse dal Bramante, a pianta centrale, paragonata a un "immenso e incomparabile ostensorio". E' una visione abbastanza inedita rispetto a quella che ci riserva solitamente l'Umbria romanica e contemplativa, rinchiusa all'interno delle sue mura:

60 in alto La Porziuncola si trova sotto la cupola della Chiesa di Santa Maria degli Angeli, la settima per grandezza nel mondo, sorta nel '500 ad Assisi per accogliere i pellegrini.

60 in basso La cappella della Porziuncola, letteralmente "piccolo pezzo di terra", è forse il luogo che meglio evoca San Francesco: qui il Santo fondò il suo Ordine, qui incontrò Chiara e qui morì, nell'ottobre del 1226. L'edificio consiste in un semplice vano coperto da una volta a botte a sesto acuto.

61 In questa immagine si può ammirare l'interno della chiesa benedettina di San Pietro, ad Assisi, sorta nella seconda metà del '200, la chiesa riceve luce quasi esclusivamente dal rosone centrale. Il tetto, a travature scoperte, è sorretto da arconi trasversi a sesto acuto che sussegguono a distanza ravvicinata.

qui lo spazio è aperto sulla valllata, la circolarità della pianta centrale evoca la perfezione di un disegno divino, l'evidenza fisica di questo edificio così imponente sembra evocare, anticipandole, le magniloquenti costruzioni barocche.

Orvieto pare un'isola sopra l'ampia valle di Perugia. La sua posizione su una piattaforma rocciosa, arroccata e facilmente difendibile, giustifica l'avvicendarsi di insediamenti e sovrani diversi: Etruschi, Romani, Goti, Bizantini, Longobardi, fino alla presenza massiccia della corte papale. A Orvieto papa Innocenzo III proclamò la quarta Crociata, papa Martino IV venne eletto in presenza di Carlo d'Angiò, Luigi di Francia venne canonizzato alla presenza di papa Bonifacio VIII. Più di tante altre città umbre, Orvieto si identifica con la sua grandiosa cattedrale, la cui capacità di suggestione è dovuta anche all'ubicazione privilegiata nella città, fatto che le attribuisce il ruolo di punto più alto di riferimento religioso e civile della società comunale. La chiesa si avvicina ai modelli francesi, dai quali peraltro, il Gotico si era sviluppato: i profondi portali, i frontoni cuspidati, il ricco rosone traforato creano quel prodigio di armonia, di equilibrio, di preziosismi decorativi, di rilievi plastici che corrisponde alla facciata.

62-63 *Un cielo rischiarato dalla luna e fitto di stelle è lo sfondo pacato e sobrio per la scena drammatica della* Cattura di Cristo, *collocata nel transetto sinistro della Chiesa di San Francesco, nella Basilica Inferiore, ad Assisi. L'affresco, che risale agli anni 1326-1329, è attribuito a Pietro Lorenzetti, grande allievo senese di Giotto.*

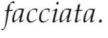

PERUGIA, PER LE ANTICHE SCALE TRA MONUMENTI D'ARTE E ARCHITETTURA

64 in alto La Fontana Maggiore, la più celebre fontana medievale di Perugia, è la protagonista della Piazza dei Priori, oggi Piazza IV Novembre. Un'iscrizione della fine del '200 riporta il nome dell'architetto, Fra Bevignate, e dei due celebri scultori, Nicola e Giovanni Pisano, che arricchirono con statue e rilievi marmorei le due vasche poligonali.

64 in basso Semplice e austera, la Chiesa di San Michele Arcangelo, chiamata anche "Sant'Agnolo", è una rotonda paleocristiana sorta fra il V e il VI secolo. Nel tamburo della rotonda si apre una serie di finestre raggruppate a tre a tre e orientate in direzione dei quattro punti cardinali e dei bracci di una croce.

64-65 La facciata e le mura esterne di San Domenico - risalente al periodo a cavallo fra il XIV e il XV secolo - con i possenti contrafforti, conservano l'aspetto che rimanda all'architettura cistercense e alla chiesa domenicana di Santa Maria Novella. La chiesa venne a suo tempo presa a modello per il progetto del Duomo di Perugia.

65 in basso Torre di guardia e campanile turrito, la torre San Pietro dell'omonimo monastero benedettino svetta sui tetti. Secondo fonti attendibili, le fondazioni insistono sopra una tomba etrusca. La parte dodecagonale risale al XIII secolo; il cornicione, sostenuto da un giro di beccatelli, era stato concepito come camminamento.

68-69 Le ultime luci del giorno stanno abbandonando i tetti di Perugia, mentre l'illuminazione artificiale nelle strade e nelle case inizia gradualmente ad accendersi. La notte è pronta ad abbracciare l'intera città celandone le diverse nature: la Perugia etrusca, così come quelle romana, medievale e papale, stanno infatti per essere avvolte dallo scuro mantello.

66-67 La città vecchia è percorsa dalle caratteristiche vie scoscese cordonate in pietra o in mattone, a volte strette e tortuose, con archetti che inaspettati si aprono su panorami perdutissimi o su antichi palazzi. Il Medioevo ha lasciato in questa città segni precisi, che si sono conservati anche grazie all'intelligente e rispettosa attenzione dei suoi abitanti.

70-71 Le belle forme rinascimentali dell'Oratorio di San Bernardino, a Perugia, accolgono la ricca decorazione plastica della facciata, datata 1457, opera del fiorentino Agostino di Duccio, allievo di Donatello. Nel timpano si osserva un Cristo benedicente con angeli e cherubini; nella lunetta compare San Bernardino da Siena nella mandorla fiammeggiante, circondato da angeli musicanti e cherubini; nella nicchia a tabernacolo a sinistra della lunetta è riconoscibile l'Angelo annunciante. Tipica dello stile del maestro è la linea ondulata e morbida che ricorre nelle vesti dei personaggi, conferendo loro una particolare leggiadria.

72 Il nobile Collegio del Cambio di Perugia - nell'immagine è ritratta la Sala dell'Udienza - ebbe fin dalle origini scopi di previdenza, beneficenza e giustizia nell'ambito della costituzione della città. I Consoli che vi si riunirono diedero incarico, sul finire del '400, al loro illustre concittadino Perugino di affrescare come meglio si conveniva la Sala dell'Udienza, utilizzata per le pubbliche riunioni e per l'amministrazione della giustizia, con figure di Profeti e di Sibille, con le virtù cardinali e i tipici personaggi che incarnavano nell'antichità. Anche il rivestimento in legno che ricopre le pareti risale agli anni '90 del Quattrocento.

73 L'attribuzione a Perugino di questa bellissima pala d'altare con l'Adorazione dei Magi (1476-78), conservata nella Galleria Nazionale di Perugia, non è da tutti condivisa. Restano tuttavia gli ingredienti che sono tipici della cultura peruginesca: tonalità calde e pastose - per tradizione l'opera è considerata la prima pittura a olio in Umbria - gusto per il costume e il dettaglio delle fisionomie, serenità diffusa, grazia, eleganza, vastità e ampiezza dell'orizzonte paesaggistico. Il giovane che ci guarda, ritratto all'estrema sinistra del dipinto, è proprio lui: Pietro Vannucci detto il Perugino.

74-75 La Sala dei Notari, l'antica sede delle assemblee popolari all'interno del Palazzo dei Priori, divenne nel 1582 il Salone dell'Arte dei Notai. Il soffitto, gli otto possenti arconi, le pareti, gli sguanci delle finestre sono affrescati da quegli stessi maestri romani che prestarono la loro opera nella Basilica Superiore di Assisi.

ASSISI, LA FORZA DELLA SPIRITUALITA'

76-77 Il Duomo di Assisi, che risale al XII secolo e che venne dedicato a San Rufino, esibisce uno dei più ricchi ed eloquenti bestiari scolpiti dell'Italia romanica. Grifi, esseri mostruosi, rettili demoniaci si alternano alle raffigurazioni di scene bibliche e ai simboli degli Evangelisti che circondano il ricco rosone centrale. Dalla lunetta del portale si affaccia un Cristo re scolpito, maestoso e temibile nella sua sacralità.

78-79 In questa suggestiva veduta notturna della Piazza del Comune di Assisi le luci si riflettono sul Palazzo dei Priori, risalente al XIV secolo, e sulla Torre del Popolo, iniziata nel 1212.

80-81 L'immagine mostra il borgo di Assisi, sorto su un terreno collinoso. Da questa angolazione si nota immediatamente l'impressionante mole del Sacro Convento francescano, più simile a un possente bastione che a un edificio di culto.

82-83 Una grande spianata si apre di fronte alla facciata della Chiesa Superiore della Basilica di San Francesco. La costruzione di questo edificio venne iniziata il 17 luglio 1228, il giorno dopo la canonizzazione del santo.

85 L'immagine mostra la volta a crociera della prima campata della Chiesa Superiore. Gli affreschi, con i quattro Dottori della Chiesa - San Gerolamo, Sant'Agostino, San Gregorio e Sant'Ambrogio - sono attribuiti a Giotto giovane e sono databili al 1293.

84 In questa fotografia è possibile cogliere la grandiosità e la ricchezza di preziosi particolari della navata centrale della Chiesa Inferiore della Basilica di San Francesco. Edificato subito dopo la morte del santo per volere di frate Elia, vicario generale dell'ordine francescano, il complesso ecclesiastico è composto da due basiliche sovrapposte. Entrambe le chiese vennero affrescate dai più grandi artisti e maestri del tempo, Cimabue e Giotto; sulle pareti della Chiesa Inferiore si possono ammirare anche capolavori di Pietro Lorenzetti e di Simone Martini.

87 in alto Nel trasetto sinistro della Basilica Inferiore è possibile ammirare questo capolavoro realizzato da Pietro Lorenzetti e da alcuni aiuti negli anni '20 del Trecento. Il tema raffigurato è quello della Passione di Cristo: il dettaglio della volta a botte con L'entrata a Gerusalemme, mostra l'inedito ruolo primario conferito all'architettura ed evidenzia la ricchezza e la vivacità dei colori.

87 in basso Lo stile inconfondibile di Simone Martini si avverte nell'eleganza con cui due musici di corte dai vestiti variopinti e dall'aria sognante accompagnano la cerimonia dell'investitura di San Martino nell'omonima cappella, nella Basilica Inferiore di San Francesco ad Assisi (1317).

86-87 Che la chiesa-cripta inferiore funga da basamento per la costruzione sovrapposta è chiaramente intuibile dalle proporzioni schiacciate delle ampie volte a crociera, impostate su archi a tutto sesto che poggiano su pilastri bassi e massicci. Il modello ad aula unica, proposto ad Assisi, risulta particolarmente funzionale alla predicazione e all'osservazione degli affreschi parietali.

Norcia,
IL FASCINO INTATTO
DEI CENTRI MINORI

88-89 Nella romana Nursia, l'odierna Norcia, nel 480 nacquero San Benedetto e sua sorella gemella Santa Scolastica; secondo la tradizione, la cattedrale è stata edificata proprio sopra la loro casa natale. L'attuale edificio risale alla fine del '300; il bel portale gotico e il rosone sono arricchiti dalle statue dei due Santi entro le edicole. Il monumento a San Benedetto, eretto davanti alla chiesa, risale invece al 1880.

90 in alto Sulla facciata della
Chiesa di Sant'Agostino si
può ammirare questa
lunetta dipinta che mostra
la Madonna con il Bambino
e, ai lati, i due santi gemelli,
Benedetto e Scolastica.

90 in basso Questa lunetta
scolpita sul portale di San
Benedetto vede la Madonna
e il Bambino fra due angeli
inginocchiati.

91 Poco conosciuta al
grande pubblico, la Chiesa
di Sant'Agostino offre
preziose e insulite
sorprese, quali questo
vigoroso affresco
tardoquattrocentesco con
la figura del Santo.

92-93 L'immagine presenta
il cuore della cittadina di
Norcia: Piazza San
Benedetto. Intorno alla
statua del santo sorgono gli
edifici principali del borgo:
il Palazzo Comunale,
la Chiesa di San Benedetto
(entrambi visibili nella
fotografia), il Forte della
Castellina e il Duomo.

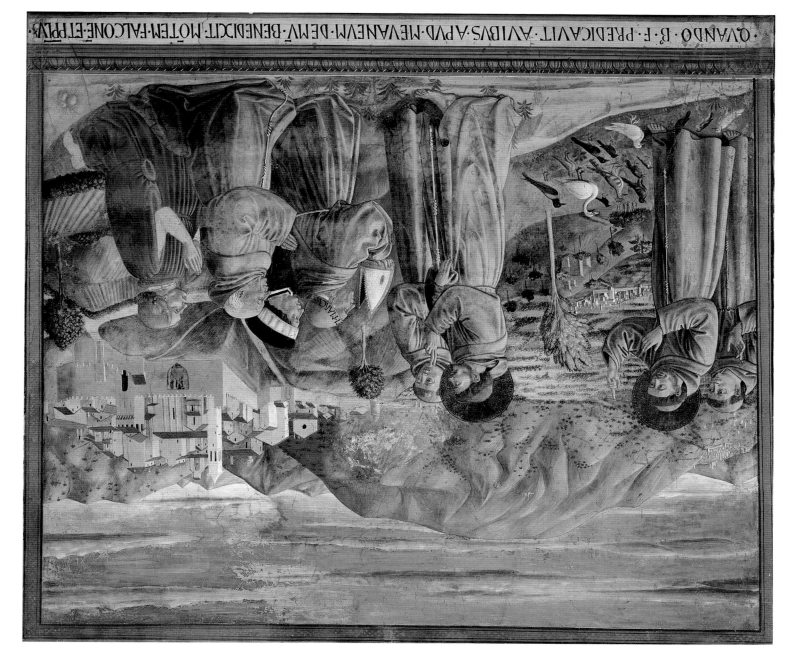

·QVANDO· B̄· F· PRȨDICAVIT· AVIBVS· APVD· MEVANEVM· DEM̄· BENEDICIT· MOTEM· FALCONE· ET·PIV·

94 *La borghesia elegante del tempo, il gusto per l'ornato e gli ideali ancora cortesi sono i veri protagonisti degli affreschi quattrocenteschi di Benozzo Gozzoli, per il quale le figure hanno lo stesso peso degli elementi architettonici e dei paesaggi. Nell'immagine si osserva la Benedizione ai consoli di Bevagna e di Montefalco; a destra, inginocchiato, appare il committente, Fra Jacopo da Montefalco.*

95 *L'abside mediana dell'ex chiesa di San Francesco a Montefalco, oggi trasformata in Pinacoteca, è un capolavoro di Benozzo Gozzoli che, abbandonato il suo maestro Beato Angelico, si confronto autonomamente con un'opera di vasto respiro, come queste Storie di San Francesco.*

Montefalco, gloriosa tra stendardi e cavalieri

SPOLETO: I COLORI DELLA PIAZZA, LE SUGGESTIONI DEL PAESAGGIO

96 La cappella privata del vescovo Costantino Eroli, nel Duomo di Spoleto, è arricchita da una maestosa Madonna in trono col Bambino e i Santi Giovanni Battista e Stefano: le fa da corona il Padre Eterno in gloria circondato da angeli e cherubini. L'opera porta la data del 1497 ed è attribuita al Pinturicchio, uno dei più fertili allievi del Perugino.

97 Il Duomo romanico di Spoleto, dedicato a Santa Maria Assunta, fu iniziato dopo la distruzione della città da parte di Federico Barbarossa, nel 1155. Nella facciata deve essere accuratamente osservato il rosone centrale, uno dei più sontuosi di tutta l'Umbria. Degni di nota sono anche il campanile, menzionato nei documenti più antichi come torre di difesa, e il mosaico con Cristo in trono fra Maria e Giovanni, datato al 1207. Il portico, che si inserisce armoniosamente nel complesso, è un'aggiunta della fine del '400.

98-99 Gli affreschi del catino absidale del Duomo di Spoleto si devono a un altro grandissimo pittore del Quattrocento, Filippo Lippi. La scena dell'Incoronazione di Maria, dalla straordinaria vivacità cromatica, è l'ultima opera del maestro, che morì nel 1469.

100-101 La veduta rivela la particolare bellezza di Piazza del Duomo a Spoleto, una delle più suggestive piazze d'Italia. Il contrasto delle tinte è davvero stupefacente: pietra candida per il pavimento, toni caldi per le case, patina rosata per il Duomo su cui spicca l'oro del mosaico e infine il verde delle colline sullo sfondo.

102-103 L'austera chiesa romanica di Sant'Eufemia, a Spoleto, risale al XII secolo: la spoglia struttura a tre navate con matronei induce al silenzio e al raccoglimento. La chiesa fu per lungo tempo dedicata a Santa Lucia, che è ricordata con un affresco del 1455 sul pilastro tondo della seconda campata.

104-105 Simbolo di Spoleto, il monumentale Ponte Gattaponi, dal nome del suo progettista Matteo Gattaponi da Gubbio, funge da percorso pedonale e allo stesso tempo da acquedotto. Costruito nel XIV secolo in pietra calcarea locale, probabilmente su strutture romane preesisteni, è lungo 230 metri e scavalca l'orrido sottostante con dieci altissime, spettacolari arcate.

Todi,
AUSTERITA' E SPIRITO BATTAGLIERO

106 in alto Il borgo medievale di Todi si è sviluppato, già in tempi remoti, su un alto colle scosceso che domina la Valtiberina.

106 in basso Una curiosa pianta a quadrifoglio è alla base del santuario di Santa Maria della Consolazione. Il complesso è costituito da un cubo centrale con un'alta cupola con tamburo e quattro absidi, delle quali una circolare e le altre poligonali. E' una delle rare chiese cinquecentesche dell'Umbria per la quale vennero interpellati numerosi celebri architetti, da Peruzzi a Sangallo il Giovane, da Vignola all'Alessi.

107 Il merlato Palazzo del Popolo e, più arretrato, il Palazzo del Capitano dalle belle trifore gotiche, risalgono al XIII secolo. Collegati da un'ampia scala esterna, gli edifici imprimono a Piazza del Popolo un carattere austero. A uno dei capi della piazza, lunga e rettangolare, sorge, alto su una gradinata, il Duomo di forme romaniche.

108 *Situata nel punto più alto del colle cittadino, all'interno della cerchia di mura più antica, la Chiesa francescana di San Fortunato, patrono di Todi, venne iniziata nel 1292; i lavori per la costruzione di questo pregevole edificio proseguirono fino alla seconda metà del '400.*

109 a sinistra La facciata della Chiesa di San Fortunato, decorata solo nella parte inferiore nello stile di Jacopo della Quercia, in qualche modo richiama la facciata del Duomo di Orvieto, realizzata un secolo prima.

109 a destra All'interno, la chiesa si mostra in tutta la sua grandezza: l'edificio infatti è ampio e di grande respiro e le tre navate, con belle, altissime volte a crociera, conferiscono all'insieme una solenne maestosità.

ORVIETO:
COME RICAMARE
CON L'ARCHITETTURA

110-111 Il Duomo di Orvieto è il vero simbolo della cittadina umbra, nonché una delle massime testimonianze dell'architettura gotica in Italia: la sua parete scenografica è stata, non a caso, paragonata a quella di un dossale gotico a forma di polittico. La costruzione del Duomo venne iniziata

nel 1290, quale commemorazione del miracolo di Bolsena, secondo una struttura prettamente romanica, ma con insolite ambizioni di altezza e di ampiezza. Verso il 1310 il senese Lorenzo Maitani fu incaricato di continuare l'opera secondo criteri più moderni. Eccezionale risulta così la decorazione scolpita e

policroma del coro e della facciata, nella quale prevalgono il bassorilievo, il mosaico, l'oro e l'effetto pittorico di superficie che sottolineano oltremodo l'immagine della Chiesa trionfante. Inoltre, contrafforti modanati e sormontati da alti pinnacoli, timpani acuti sopra i portali e sul coronamento delle

navate, gallerie di archi a sesto acuto, non fanno che aumentare il fascino e l'unicità di architettura. Una menzione a parte va rivolta al pregevole rosone inscritto in un quadrato: questo elemento, eseguito nel 1359, è attribuito al grande scultore fiorentino Andrea Orcagna.

GLORIOSVS · APOSTOLORVM · CHORVS.

112-113 All'interno del Duomo di Orvieto, nella cappella di San Brizio, si possono ammirare i celebri affreschi di Luca Signorelli, da Vasari definiti "destro" nel disegno e "agile" nel colore. Il Giudizio Finale è "invenzione bellissima, bizzarra e capricciosa," per la varietà di vedere tanti angeli, demoni, terremoti, fuochi, ruine e gran parte de' miracoli di Anticristo", secondo le parole dello stesso Vasari. Nell'immagine a sinistra si osserva una scena che rappresenta la Chiamata dal cielo degli eletti; in quella a destra si può notare invece la scena del finimondo, i Dannati dell'Inferno. Il Giudizio Universale, la Predica dell'Anticristo, la Fine del Mondo, sono questi i temi apocalittici con i quali Signorelli offre il meglio di sé, a partire dal 1499, lasciandoci una sorta di testamento. I suoi affreschi rappresentano con incredibile efficacia quel turbamento delle coscienze che investì, sul finire del Quattrocento, la mentalità e l'immaginario collettivo, preda di presagi catastrofici, oroscopi e vaticini spaventevoli, nonché delle infuocate prediche savonaroliane.

114-115 Il Pozzo di San Patrizio fu fatto costruire da papa Clemente VII mentre soggiornava a Orvieto durante il Sacco di Roma del 1527. Il pozzo avrebbe dovuto servire per approvvigionare la città di acqua potabile in caso di assedio. Il complesso progetto è attribuito ad Antonio da Sangallo il Giovane e consiste in un cilindro profondo 62 metri e largo 13, intorno al quale si svolgono a spirale due scale sovrapposte e indipendenti una da utilizzare per la discesa, l'altra per la salita che raggiungono il fondo del pozzo. Un sistema di scale simile era stato progettato da Leonardo per una casa di tolleranza.

115 in alto L'aria grave e massiccia del duecentesco Palazzo del Popolo è ingentilita dalle elegantissime trifore del vasto salone che si apre al primo piano.

115 in basso Un intelligente esempio di riuso, rispettoso della tradizione antica, è costituito da questa splendida abbazia del XIII secolo, presso Orvieto, oggi trasformata in albergo.

116-117 La splendida facciata del Duomo, illuminata dai raggi del sole, domina la cittadina di Orvieto, che sorge su un ampio rialzo di tufo nella valle di Paglia.

118-119 Il Palazzo dei
Consoli di Gubbio è uno
dei palazzi comunali più
importanti del Medioevo,
una straordinaria impresa
costruttiva che richiese la
creazione di massicce
fondazioni di sostegno,
in parte su due piani,
addossate al pendio.
Queste fondazioni

sostengono non solo il
Palazzo, ma la stessa piazza,
che non è altro che una
grande terrazza pensile.
Non si sa con certezza chi
ne sia l'artefice: per molti,
si tratterebbe di un'opera
giovanile di Matteo
Gattaponi, l'autore
dell'omonimo ponte di
Spoleto.

GUBBIO, UNA SFIDA CONTRO LA ROCCIA E LA MONTAGNA

119 a sinistra La ricca decorazione ad affresco della cappella del coro della Chiesa di Sant'Agostino raffigura le storie del Santo, i quattro Evangelisti e il Giudizio Universale. Questi lavori, attribuiti a Ottaviano Nelli e alla sua bottega, risalgono agli anni venti del '400.

119 a destra Prototipo della cittadina medievale, Gubbio conserva numerosi edifici storici, nonché la caratteristica struttura che vede un anello di mura a protezione del borgo e la Cattedrale e il Palazzo Ducale in posizione dominante rispetto alle altre costruzioni.

120-121 Questa fotografia permette di osservare in dettaglio l'ingresso del Palazzo dei Consoli dell'antica Iguvium. All'interno del palazzo si trova oggi le sedi della pinacoteca comunale, che merita senza dubbio un'attenta visita.

FOLIGNO: GENTILEZZA E CORTESIA PER I SIGNORI DELLA CITTA'

123 *Nella Camera delle Stelle del Palazzo dei Trinci di Foligno pare di trovarsi in un'Accademia, poiché sulle sue pareti sono state dipinte a fresco le rappresentazioni di tutte le arti liberali: Grammatica, Dialettica, Musica (qui ritratta), Geometria, Filosofia, Astrologia, Aritmetica e Retorica.*

122 a sinistra
Nell'immagine si osserva uno scorcio della facciata di San Feliciano, il Duomo di Foligno, completato, secondo i documenti, nel 1113 e in seguito più volte modificato. La chiesa si affaccia sulla centrale Piazza della Repubblica.

122 a destra in alto
Gli affreschi di gusto cortese che arricchiscono il nobile Palazzo dei Trinci, signori di Foligno, risalgono agli anni Venti del '400. Le regole del Galateo e della Cavalleria sembrano le principali preoccupazioni dei due damerini dai vivaci costumi.

122 a destra in basso
L'ignoto pittore che ha realizzato questo ricco ciclo profano all'inizo del '400 dà prova della sua cultura umanistica nella Camera delle Stelle del Palazzo dei Trinci, dove sono raffigurate le arti liberali: nell'immagine è ritratta la Grammatica.

SPELLO:
RESPIRARE L'ANTICO
NEI VICOLI E FRA LE CASE

*124 L'immagine mostra
un caratteristico scorcio di
uno stretto vicolo in salita
di Spello: via Arco di
Augusto. La romana
Hispellum si rivela nelle
mura e negli archi che in
epoche successive vennero
incorporati in altri edifici,
tutte testimonianze
dell'antico carattere del
borgo.*

*125 Le case di pietra e
la tipica pavimentazione
in mattoni e ciottoli di
epoca medievale si sono
conservate, inalterate nel
tempo, rendendo l'aspetto
di Spello unico e
inconfondibile.*

*126-127 La luce irreale di
un temporale incombente
inonda le case del borgo di
Spello, che domina
incontrastato sulla
campagna circostante.*

128-129 *Schiere di angeli musicanti, dipinti da Giotto e dalla sua scuola, fanno da cornice al trionfo di San Francesco nel soffitto della Basilica Inferiore di Assisi.*

LA MISTICA
DELLA NATURA

Il mistico, rivoluzionario, moderno fraticello di Assisi e il suo Cantico delle Creature assumono oggi, per noi, il senso di un codice ecologico di comportamento e di scelte. La via indicata da Francesco otto secoli fa verso la fraternizzazione cosmica e il rispetto della natura è la stessa che ora si rivela indispensabile addirittura alla sopravvivenza del nostro pianeta. L'immagine agiografica del santo poverello e umile, che sposò Madonna Povertà e baciò i lebbrosi, sempre disponibile al sacrificio e guidato dall'amore per il prossimo e per tutte le creature, ha subito nel tempo una notevole evoluzione: sempre più spesso Francesco ci appare come un uomo affascinante e scomodo, pacifista e rivoluzionario, incantato certo di fronte alle bellezze del Creato, ma non al punto da perderne di vista la concretezza, la storia, la realtà sociale. Radicale e determinato nelle sue scelte, portatore di valori nuovi rispetto a quelli che stavano allora emergendo con la nascente borghesia mercantile, Francesco fu sicuramente figlio del proprio tempo, il Medioevo, ma il suo insegnamento ci appare oggi di una straordinaria modernità, esempio di ribellione all'arroganza, tutta cristiana, dell'uomo posto dalla Bibbia al centro del mondo e suo dominatore. A quell'Adamo descritto dalla Genesi nel giardino dell'Eden, custode di tutte le creature e come tale ritenuto libero di dominare, manipolare, sfruttare la natura fino a distruggerla, Francesco risponde dimostrandosi invece responsabile, rispettoso e non dominatore, teso a ritrovare nelle cose, nell'acqua, nel sole, nella luna, nel fuoco e nel canto delle cicale, i segni lasciati nel Creato dal Dio in cui credeva. La sua fratellanza universale non è altro che la tanto invocata nuova alleanza fra uomo e natura: di fronte ai mercanti e agli usurai del Duecento da cui proveniva, Francesco predica l'essere e non l'avere, il rispetto e non il dominio, la qualità e non la quantità. Il suo era il mondo nuovo, in cui alle campane si affiancava l'orologio della torre cittadina, in cui il tempo della Chiesa, fatto di ore terze e none, lasciava spazio al tempo del mercante che era denaro e produceva denaro. Il nostro, oggi, è il tempo in cui si rimettono in discussione i concetti di sviluppo e di progresso basati unicamente sul reddito, in cui si

131 Anche questo affresco, che ritrae la Predica agli uccelli, è stato realizzato da Giotto e si trova nella Basilica Superiore di Assisi. Nei pressi di Bevagna, San Francesco scorse un grande stormo di uccelli e, secondo la Legenda maior, li salutò come se fossero creature dotate di intelletto e li benedisse con il segno della croce; allora gli uccelli manifestarono la loro gioia in modo meraviglioso... In questo affresco Giotto rappresenta la natura con grande ricchezza di particolari.

130 All'interno della Basilica Superiore di Assisi è possibile ammirare il capolavoro di Giotto datato 1296-1300, che rievoca il Miracolo della fonte. San Francesco, in viaggio verso un eremo, è accompagnato da un contadino, stanco per la gran sete; allora il Santo si inginocchia, alza le mani al cielo e prega finché l'uomo assetato beve l'acqua che sgorga dalla roccia grazie alla preghiera di Francesco. Giotto ha aggiunto nella scena due figure di frati, testimoni del miracolo.

ridimensiona l'idea di benessere e qualità della vita, in cui si riscopre, appunto, San Francesco, maestro nel rivendicare un diritto all'ambiente di tutti e di ognuno, che attraversa le generazioni e pone limiti alla crescita economica e all'uso delle risorse. L'influenza di Francesco e del Francescanesimo è stata essenziale in Umbria non solo dal punto di vista religioso, ma per la sua stessa storia civile e artistica. Patria di santi, ma anche culla di movimenti "miglioristi" da molti considerati eretici, l'Umbria, prima di Francesco, è stata a lungo percorsa da fremiti riformisti: i flagellanti o battuti, che percorrevano le città dietro sacerdoti crociferi, percuotendosi e flagellandosi urlanti, i catari, i patari, i fraticelli, le sètte. Il Francescanesimo, da questo punto di vista, servì a ricomporre ogni frattura, fu un movimento grandioso, con il quale convissero gli altri grandi ordini, quello benedettino e quello agostiniano. Fu una formidabile molla costruttiva, anche nel senso materiale del termine: chiese e conventi, pittori e artisti, si mobilitarono sull'onda del grande fervore impresso in particolare dagli ordini mendicanti. Questi fondavano la loro grande solidità su antiche radici, nei conventi e nei romitori sorti a Monteluco, a Ferentillo, a Norcia, sul Monte Subasio. I complessi conventuali furono gli avamposti delle città nuove che stavano ingrandendosi: costruiti sempre alla periferia dei centri abitati, contribuirono a innescare un processo di ulteriore crescita del tessuto urbano, finendo inglobati entro le nuove cinte di mura.
Se è vero che fu Francesco la figura più carismatica fra quelle che segnarono la storia della regione, non si possono dimenticare i nomi, altrettanto importanti, di San Benedetto da Norcia, grande architetto della religiosità e dell'attivismo conventuale, sostenitore dell'edificio cattolico nei primi e durissimi secoli, fondatore di monasteri che hanno fatto la storia della cultura occidentale; di sua sorella gemella Santa Scolastica; di Santa Chiara d'Assisi che, seguendo l'esempio di San Francesco, rinunciò alle ricchezze e fondò l'Ordine delle Clarisse; di Santa Rita da Cascia.
Ancora oggi l'eco della devozione popolare si fa sentire nelle numerose feste religiose, nelle sacre rappresentazioni: a Orvieto per il Corpus Domini,

132 La Basilica Superiore di San Francesco ad Assisi risale alla metà del XIII secolo; il cantiere, aperto due anni prima della morte del Santo, nel 1226, era immediatamente diventato il centro irradiatore del Francescanesimo. L'edificio comprende due chiese sovrapposte: quella inferiore, dove è sepolto il fondatore dell'Ordine, che divenne subito luogo di pellegrinaggi e meta di culto popolare, e quella superiore, finalizzata alla predicazione, attività centrale nella dottrina francescana e degli ordini mendicanti in generale. Le due chiese sono a una sola navata, con un transetto e un'abside, sostenuta all'esterno da lunghi contrafforti cilindrici e in basso da archi rampanti.

133 Questo affresco di Pietro Lorenzetti, conservato nel transetto sinistro della Basilica Inferiore di Assisi, raffigura l'Ingresso di Cristo in Gerusalemme. Seguito dagli Apostoli, Gesù è accolto con grande tripudio; sullo sfondo due giovani colgono fronde d'ulivo per festeggiare l'arrivo del Messia. Nell'opera la ricerca spaziale, fattasi accurata e minuziosa, viene messa in risalto da un cromatismo puro e splendente.

a Cascia per le celebrazioni in ricordo di Santa Rita,
a Gubbio con la corsa dei Ceri, a Spello con le
infiorate. Lo spirito religioso, indubbiamente uno dei
tratti caratteristici della regione, ritorna nelle
vicende terrene di altri umbri passati alla storia, uno
dei quali è papa Celestino V, predecessore di
Bonifacio VIII, stigmatizzato da Dante nell'Inferno
perché "fece per viltà il gran rifiuto". Tuttavia, la
figura che con maggior forza ha lasciato la propria
testimonianza mistica è senz'altro il solitario e
intensissimo Jacopone da Todi, che con le Laudi, quasi
per eccesso d'amore verso Dio, invoca su sé stesso
ogni male, ogni disfacimento della carne, ogni
maledizione e terrore, in un furore di annientamento
degno delle immagini apocalittiche dipinte da
Signorelli a Orvieto.

Oggi il mistero della vita monastica, la suggestione
evocata dall'esistenza nel silenzio dei conventi e dei
chiostri, rivive nella tradizione di ospitalità che
l'Umbria ha mantenuto nel tempo. Nel monastero
benedettino di Santa Maria del Monte, a Bevagna,
vengono accolti singoli e gruppi di persone, a
condizione che rispettino scrupolosamente i ritmi
della vita claustrale: logge e scale collegano fra loro i
diversi corpi di fabbrica che circondano il giardino
interno, un vero hortus conclusus dove coltivare la
preghiera e la meditazione. Non manca una
componente più prosaica: la comunità è infatti
rinomata per la produzione di miele, marmellate,
grappa, olio e dolci, regolarmente serviti agli ospiti.
Lo stesso cordiale senso di accoglienza è presente ad
Amelia, nell'antichissimo monastero di San Magno,
dove, dalla fine del Duecento, risiedono le monache
benedettine. Venerazione e rispetto squisitamente
umbri sono testimoniati dalla cura con cui gli alberi
monumentali della regione sono seguiti e protetti:
il tiglio di San Bernardino (16 metri di altezza per
quasi 6 di circonferenza del tronco!) che, dice la
leggenda, venne piantato dagli abitanti di Todi nel
1426, in ricordo della predica del Santo, il castagno
del Sacro Speco a Narni, il leccio dell'Eremo delle
Carceri ad Assisi. Anche in questa occasione, in cui
a essere tutelato è il verde pubblico, l'Umbria si
dimostra rispettosa dell'armonia dell'ambiente e
consapevole delle ricchezze che ha avuto la fortuna
di dover custodire.

134-135 Le allegorie delle
tre virtù, Povertà, Castità,
Obbedienza, unitamente al
Trionfo di San Francesco,
compaiono nelle vele della
volta della Basilica
Inferiore. Anche questi
lavori sono opera di Giotto
e della sua scuola.

S PAVPTAS

136 *Una delle scene più
note del ciclo francescano
di Assisi firmato da Giotto
è quella del Dono del
mantello, opera situata
nella Basilica Superiore e
datata agli anni 1290-95.
I profili obliqui dei colli e le*
architetture, che paiono
mute testimoni della
vicenda, sembrano essersi
dati appuntamento per
sottolineare il gesto del
Santo, la cui testa aureolata
va ad inserirsi proprio al
centro della composizione.

137 *In questo affresco, conservato nella Basilica Superiore, si osserva la* **Conferma della regola** *di Giotto. Il maestro mostra di approfondire il rapporto fra figure e sfondo, che non è mai casuale. L'ambiente interno, arditamente scorciato, serve a inquadrare entro i tre arconi della parete di fondo i tre gruppi di figure che vi si dispongono da sinistra verso destra: i confratelli, San Francesco al centro e papa Innoncenzo III, circondato dagli alti prelati, nell'atto di benedire il Santo.*

138 Una monumentale
Crocifissione campeggia
sul fondo blu notte del cielo:
ai piedi di Cristo e dei due
ladroni una folla di figure
pensose ed eleganti,
abbigliate in costumi
trecenteschi, assiste all'evento.
E' la pregevole interpretazione
offerta da Pietro Lorenzetti
nel transetto sinistro della
Basilica Inferiore (1326-29).

139 Maria Maddalena e
Santa Caterina, con i loro
tradizionali attributi,
con vesti e pose
particolarmente ricercate,
sono state inserite entro
nicchie cuspidate da Simone
Martini che, come sempre,
conferisce nobiltà e
preziosismi ai suoi affreschi
nella cappella di San Martino,
nella Basilica Inferiore (1317).

Š·M·MAGDALENA   SÃ·CATERINA

140-141 Il volto di Santa Chiara, discepola di San Francesco e fondatrice dell'Ordine delle Clarisse, ha, in quest'opera, la stessa sacralità di un'icona bizantina. Questo prezioso ritratto, che si può ammirare ad Assisi, nel transetto destro della chiesa dedicata alla Santa, è opera di un ignoto maestro della cerchia di Cimabue.

141 in alto In questa veduta panoramica di Assisi la Chiesa di Santa Chiara sembra dominare sulla campagna circostante. La costruzione gotica ricorda nella struttura la Chiesa Superiore di San Francesco, compagno di fede della Santa, anche se l'utilizzo di calcare bianco e rosa a strisce alternate conferisce all'edificio un carattere del tutto unico e particolare.

141 in basso La Basilica di Santa Chiara, costruita fra il 1257 e il 1265, presenta all'interno pregevoli capolavori pittorici. Sulle volte dell'abside sono state dipinte alcune figure di sante, realizzate probabilmente verso la prima metà del '300.

142-143 Le prime luci della sera illuminano Assisi, che si rivela in tutta la sua unicità; in questa antica città infatti fede, arte e storia si incontrano e si uniscono.

144 Uno dei due portali d'ingresso alla Sala dei Notari, a Perugia, è custodito da una statua in pietra raffigurante un grifo che schiaccia un toro sotto gli artigli.

141